GW00982534

La biblioteca di Gianni Rodari

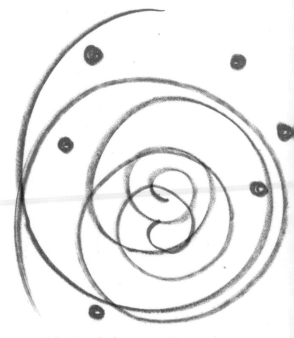

Prima pubblicazione 1960 Giulio Einaudi editore s.p.a., Torino
Per il testo © 1980 Maria Ferretti Rodari e Paola Rodari
Per le illustrazioni © Bruno Munari 1960,
tutti i diritti sono riservati alla Maurizio Corraini S.r.l.
© 2011 Edizioni EL, via J. Ressel 5, 34018 - San Dorligo della Valle (Trieste)
ISBN 978-88-7926-915-5
www.edizioniel.com

Le *Filastrocche in cielo e in terra* di questo libro sono state pubblicate per la prima volta dall'editore Einaudi nel 1960 con le illustrazioni di Bruno Munari.

# Gianni Rodari

NURSARY RHYMES

# Filastrocche in cielo e in terra

Disegni di Bruno Munari

**Einaudi Ragazzi**

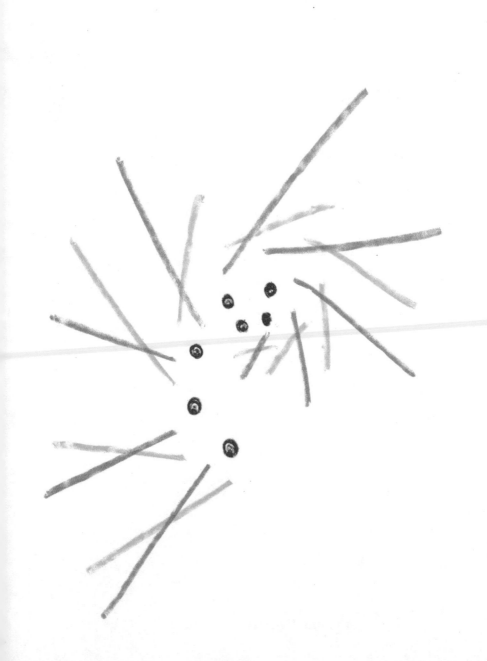

# Filastrocche in cielo e in terra

*Un po' a mia figlia Paola
e un po' a tutti gli altri bambini*

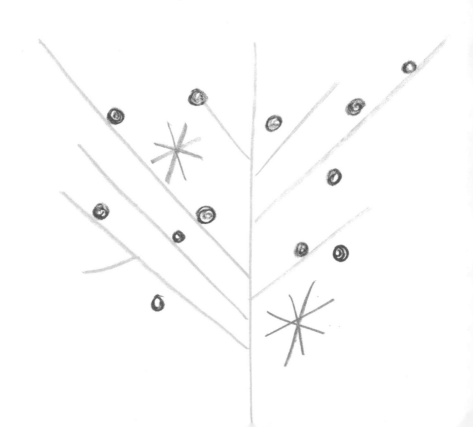

# La famiglia Punto-e-virgola

# Il dittatore

Un punto piccoletto,
superbioso e iracondo,
«Dopo di me – gridava –
verrà la fine del mondo!»

Le parole protestarono:
«Ma che grilli ha pel capo?
Si crede un Punto-e-basta,
e non è che un Punto-e-a-capo».

Tutto solo a mezza pagina
lo piantarono in asso,
e il mondo continuò
una riga piú in basso.

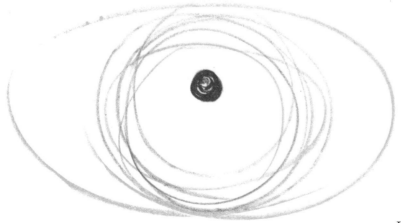

# Il puntino di fuoco

C'era una volta un «I» senza il puntino:
gliel'aveva soffiato via
un vento sventato
scambiandolo per un cappellino.
Rimasto cosí
senza testa,
che male ci resta
quel povero «I»,
davanti ai suoi fratelli e ai suoi cugini
tutti ricconi e pieni di puntini.
Ma una matita rossa
che passava di là
gli regalò un puntino di fuoco,
rosso come una mela,
cosí bello e fiammante
che tutta la parentela
per la gelosia
ci fece una malattia.

# Como nel comò

Una volta un accento
per distrazione cascò
sulla città di Como
mutandola in comò.

Figuratevi i cittadini
comaschi, poveretti:
detto e fatto si trovarono
rinchiusi nei cassetti.

Per fortuna uno scolaro
rilesse il componimento
e liberò i prigionieri
cancellando l'accento.

Ora ai giardini pubblici
han dedicato un busto
*«A colui che sa mettere*
*gli accenti al posto giusto».*

# La famiglia Punto-e-virgola

C'era una volta un punto
e c'era anche una virgola:
erano tanto amici,
si sposarono e furono felici.
Di notte e di giorno
andavano intorno
sempre a braccetto.
«Che coppia modello –
la gente diceva –
che vera meraviglia
la famiglia Punto-e-virgola».
Al loro passaggio
in segno di omaggio
perfino le maiuscole
diventavano minuscole:
e se qualcuna, poi,
a inchinarsi non è lesta
la matita del maestro
le taglia la testa.

# Il caso di una parentesi

C'era una volta
una parentesi aperta
e uno scolaro
si scordò di chiuderla.
Per colpa di quel somaro
la poveretta buscò un raffreddore,
e faceva uno sternuto
al minuto.
Passato il malore
fece scrivere da un pittore
il seguente cartello:
«Chi mi apre, mi chiuda, per favore».

# L'ago di Garda

C'era una volta un *lago*, e uno scolaro
un po' somaro, un po' mago,
con un piccolo apostrofo
lo trasformò in un *ago*.
«Oh, guarda, guarda –
la gente diceva
– l'ago di Garda!»
«Un ago importante:
è segnato perfino sull'atlante».
«Dicono che è pescoso.
Il fatto è misterioso:
dove staranno i pesci, nella cruna?»
«E dove si specchierà la luna?»
«Sulla punta si pungerà,
si farà male...»
«Ho letto che ci naviga un battello».
«Sarà piuttosto un ditale».
Da tante critiche punto sul vivo
mago distratto cancellò l'errore,
ma lo fece con tanta furia
che, per colmo d'ingiuria,
si rovesciò l'inchiostro
formando un lago nero e senza apostrofo.

# Il punto
# interrogativo

C'era una volta un punto
interrogativo,
un grande curiosone
con un solo ricciolone,
che faceva domande
a tutte le persone,
e se la risposta
non era quella giusta
sventolava il suo ricciolo
come una frusta.
Agli esami fu messo
in fondo a un problema
cosí complicato
che nessuno trovò il risultato.
Il poveretto, che
di cuore non era cattivo,
diventò per il rimorso
un punto esclamativo.

# Tragedia di una virgola

C'era una volta
una povera Virgola
che per colpa di uno scolaro
disattento
capitò al posto di un punto
dopo l'ultima parola
del componimento.
La poverina, da sola,
doveva reggere il peso
di cento paroloni,
alcuni perfino con l'accento.
Per la fatica atroce
morí. Fu seppellita
sotto una croce
dalla matita
blu del maestro,
e al posto di crisantemi e semprevivi
s'ebbe un mazzetto
di punti esclamativi.

# Il trionfo dello Zero

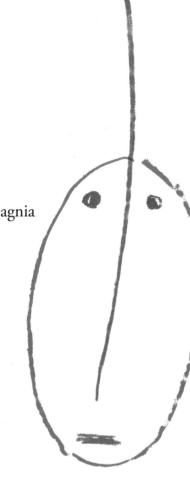

C'era una volta
un povero Zero
tondo come un o,
tanto buono ma però
contava proprio zero
e nessuno lo voleva in compagnia
per non buttarsi via.
Una volta per caso
trovò il numero Uno
di cattivo umore perché
non riusciva contare
fino a tre.
Vedendolo cosí nero
il piccolo Zero
si fece coraggio,
sulla sua macchina
gli offerse un passaggio,
e schiacciò l'acceleratore,
fiero assai dell'onore
di avere a bordo
un simile personaggio.

D'un tratto chi si vede
fermo sul marciapiede?
Il signor Tre che si leva il cappello
e fa un inchino
fino al tombino...
e poi, per Giove,
il Sette, l'Otto, il Nove
che fanno lo stesso.
Ma cosa era successo?
Che l'Uno e lo Zero
seduti vicini,
uno qua l'altro là
formavano un gran Dieci:
nientemeno, un'autorità!
Da quel giorno lo Zero
fu molto rispettato,
anzi da tutti i numeri
ricercato e corteggiato:
gli cedevano la destra
con zelo e premura,
(di tenerlo a sinistra
avevano paura),
lo invitavano a cena,
gli pagavano il cinemà,
per il piccolo Zero
fu la felicità.

# La testa del chiodo

La palma della mano
i datteri non fa,
sulla pianta del piede
chi si arrampicherà?

Non porta scarpe il tavolo,
su quattro piedi sta:
il treno non scodinzola
ma la coda ce l'ha.

Anche il chiodo ha una testa,
però non ci ragiona:
la stessa cosa càpita
a piú d'una persona.

# Sospiri

«...*Vorrei, direi, farei...*»
Che maniere raffinate
ha il modo condizionale.
Mai che usi parole sguaiate,
non alza la voce per niente,
e seduto in poltrona
sospira gentilmente:

«Me ne *andrei* nell'Arizona,
che ve ne pare?
O forse *potrei*
fermarmi a Lisbona...

«*Vorrei, vorrei...*
*Volerei* sulla Luna
in cerca di fortuna.
E voi ci *verreste*?
*Sarebbe* carino,
dondolarsi sulla falce
facendo uno spuntino...

«*Vorrei, vorrei...*
Sapete che *farei*?
*Ascolterei* un disco.
No, meglio, *suonerei*
il pianoforte a coda.
Dite che è giú di moda?
Pazienza,
ne farò senza.
Del resto non so suonare...

«*Suonerei* se sapessi.
*Volerei* se potessi.
*Mangerei* dei pasticcini
se ne avessi.
C'è sempre un se:
chissà perché
questa sciocca congiunzione
ce l'ha tanto con me».

# Problemi di stagione

«Signor maestro, che le salta in mente?
Questo problema è un'astruseria,
non ci si capisce niente:

*trovate il perimetro dell'allegria,*
*la superficie della libertà,*
*il volume della felicità...*

Quest'altro poi
è un po' troppo difficile per noi:

*quanto pesa una corsa in mezzo ai prati?*

Saremo certo bocciati!»

Ma il maestro che ci vede sconsolati:
«Son semplici problemi di stagione.
Durante le vacanze
troverete la soluzione».

# L'accento sull'A

«O fattorino in bicicletta
dove corri con tanta fretta?»

«Corro a portare una lettera espresso
arrivata proprio adesso».

«O fattorino, corri diritto,
nell'espresso cosa c'è scritto?»

«C'è scritto – Mamma non stare in pena
se non ritorno per la cena,

in prigione mi hanno messo
perché sui muri ho scritto col gesso.

«Con un pezzetto di gesso in mano
quel che scrivevo era buon italiano,

ho scritto sui muri della città
"Vogliamo pace e libertà".

«Ma di una cosa mi rammento,
che sull'-a- non ho messo l'accento.

«Perciò ti prego per favore,
va' tu a correggere quell'errore,

e un'altra volta, mammina mia,
studierò meglio l'ortografia».

# Il calamaio

Che belle parole
se si potesse scrivere
con un raggio di sole.

Che parole d'argento
se si potesse scrivere
con un filo di vento.

Ma in fondo al calamaio
c'è un tesoro nascosto
e chi lo pesca scriverà parole
d'oro
col piú nero inchiostro.

# Il gatto Inverno

Ai vetri della scuola stamattina
l'inverno strofina
la sua schiena nuvolosa
come un vecchio gatto grigio:
con la nebbia fa i giochi di prestigio,
le case fa sparire
e ricomparire;
con le zampe di neve imbianca il suolo
e per coda ha un ghiacciuolo...
Sí, signora maestra,
mi sono un po' distratto:
ma per forza, con quel gatto,
con l'inverno alla finestra
che mi ruba i pensieri
e se li porta in slitta
per allegri sentieri.
Invano io li richiamo:
si saranno impigliati in qualche ramo
spoglio;
o per dolce imbroglio, chiotti, chiotti,
fingon d'essere merli e passerotti.

# La scuola dei grandi

Anche i grandi a scuola vanno
tutti i giorni di tutto l'anno.

Una scuola senza banchi,
senza grembiuli né fiocchi bianchi,

e che problemi, quei poveretti,
a risolvere sono costretti:

«In questo stipendio fateci stare
vitto, alloggio e un po' di mare».

La lezione è un vero guaio:
«Studiate il conto del calzolaio».

Che mal di testa, il compito in classe:
«C'è l'esattore, pagate le tasse».

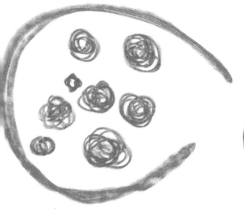

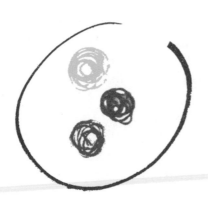

# La luna al guinzaglio

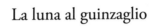

# Il Pianeta degli alberi
# di Natale

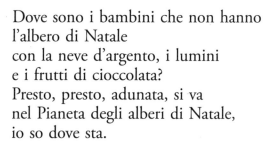

Dove sono i bambini che non hanno
l'albero di Natale
con la neve d'argento, i lumini
e i frutti di cioccolata?
Presto, presto, adunata, si va
nel Pianeta degli alberi di Natale,
io so dove sta.

Che strano, beato Pianeta...
Qui è Natale ogni giorno.
Ma guardatevi attorno:
gli alberi della foresta,
illuminati a festa,
sono carichi di doni.
Crescono sulle siepi i panettoni,
i platani del viale
sono platani di Natale.
Perfino l'ortica,
non punge mica,
ma tiene su ogni foglia
un campanello d'argento
che si dondola al vento.

In piazza c'è il mercato dei balocchi.
Un mercato coi fiocchi,
ad ogni banco lasceresti gli occhi.
E non si paga niente, tutto gratis.
Osservi, scegli, prendi e te ne vai.
Anzi, anzi, il padrone
ti fa l'inchino e dice: «Grazie assai,
torni ancora domani, per favore:
per me sarà un onore...»

Che belle le vetrine senza vetri!
Senza vetri, s'intende,
cosí ciascuno prende
quello che piú gli piace: e non si passa
mica alla cassa, perché
la cassa non c'è.

Un bel Pianeta davvero
anche se qualcuno insiste
a dire che non esiste...
Ebbene, se non esiste, esisterà:
che differenza fa?

# La luna al guinzaglio

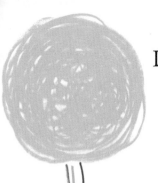

Con te la luna è buona,
mia savia bambina:
se cammini, cammina
e se ti fermi tu
si ferma anche la luna
ubbidiente lassú.

È un piccolo cane bianco
che tu tieni al guinzaglio,
è un docile palloncino
che tieni per il filo:
andando a dormire lo leghi al cuscino,
la luna tutta notte
sta appesa sul tuo lettino.

# La luna bambina

E adesso a chi la diamo
questa luna bambina
che vola in un «amen»
dal Polo Nord alla Cina?

Se la diamo a un generale,
povera luna trottola,
la vorrà sparare
come una pallottola.

Se la diamo a un avaro
corre a metterla in banca:
non la vediamo piú
né rossa né bianca.

Se la diamo a un calciatore,
la luna pallone,
vorrà una paga lunare:
ogni calcio un trilione.

Il meglio da fare
è di darla ai bambini,
che non si fanno pagare
a giocare coi palloncini:

se ci salgono a cavalcioni
chissà che festa;
se la luna va in fretta,
non gli gira la testa,

anzi la sproneranno
la bella luna a dondolo,
lanciando grida di gioia
dall'uno all'altro mondo.

Della luna ippogrifo
reggendo le briglie,
faranno il giro del cielo
a caccia di meraviglie.

# Distrazione interplanetaria

Chissà se a quest'ora su Marte,
su Mercurio o Nettuno,
qualcuno
in un banco di scuola
sta cercando la parola
che gli manca
per cominciare il tema
sulla pagina bianca.

E certo nel cielo di Orione,
dei Gemelli, del Leone,
un altro dimentica
nel calamaio
i segni d'interpunzione...
come faccio io.

Quasi lo sento
lo scricchiolio
di un pennino

in fondo al firmamento:
in un minuscolo puntino
della Via Lattea
un minuscolo scolaretto
sul suo libro di storia
disegna un pupazzetto.
Lo sa che non sta bene,
e anch'io lo so:
ma rideremo insieme
quando lo incontrerò.

# I mari della luna

Nei mari della luna
tuffi non se ne fanno:
non c'è una goccia d'acqua,
pesci non ce ne stanno.
Che magnifico mare
per chi non sa nuotare!

# Io vorrei

Io vorrei che nella Luna
ci si andasse in bicicletta
per vedere se anche lassú
chi va piano non va in fretta.

Io vorrei che nella Luna
ci si andasse in micromotore
per vedere se anche lassú
chi sta zitto non fa rumore.

Io vorrei che nella Luna
ci si andasse in accelerato
per vedere se anche lí
chi non mangia la domenica
ha fame il lunedí.

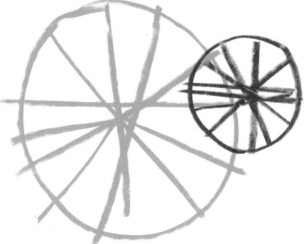

# La luna di Kiev

Chissà se la luna
di Kiev
è bella
come la luna di Roma,
chissà se è la stessa
o soltanto sua sorella...
«Ma son sempre quella!
– la luna protesta –
non sono mica
un berretto da notte
sulla tua testa!
Viaggiando quassú
faccio lume a tutti quanti,
dall'India al Perú,
dal Tevere al Mar Morto,
e i miei raggi viaggiano
senza passaporto».

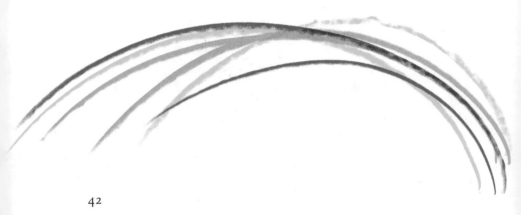

# Stelle senza nome

I nomi delle stelle sono belli:
Sirio, Andromeda, l'Orsa, i due Gemelli.

Chi mai potrebbe dirli tutti in fila?
Son piú di cento volte centomila.

E in fondo al cielo, non so dove e come,
c'è un milione di stelle senza nome:

stelle comuni, nessuno le cura,
ma per loro la notte è meno scura.

# Il pianeta Bruscolo

Si fa presto a parlare
del pianeta Bruscolo:
nell'intera Via Lattea
non c'è astro piú minuscolo;

è grosso, a dire tanto,
quanto una damigiana,
il calendario dura
in tutto una settimana:

lunedí è la Befana,
mercoledí Quaresima,
sabato San Silvestro
e si prende la tredicesima.

# Un uomo in cielo

In rotta per Aldébaran
la vedetta gridò:
– Capitano, un uomo in cielo! –
L'astronave si fermò.
Fu ripescato il naufrago:
era un giovane idraulico
di Paderno Dugnano,
caduto all'insú
dal balcone del terzo piano
in una notte di luna
per il peso della testa
troppo gonfia di sogni.
Gli facemmo gran festa,
rispose a ogni domanda.
Dopo cena il nostromo
gli cedette la sua branda.

# Il satellite Filomena

Oh che caso, oh che scena,
la signorina Filomena
è diventata
un satellite artificiale.
Se ne stava sul terrazzo
a leggere il giornale,
e senza alcun sospetto
né preavviso –
si è trovata d'improvviso
in orbita,
né piú né meno di un razzo,
a seimila chilometri di quota.
Per fortuna aveva gli occhiali,
la vecchia signorina:
cosí può guardare
il Labrador, la Cina,
le rovine di Palmira,
tutta la terra che gira
disegnata come un atlante,
coi mari e i continenti al posto giusto.
E si secca? Macché: ci piglia gusto.
È un satellite regolare
in ogni movimento:
per gli astronomi osservarlo
è un vero godimento.
La radio questa sera dopo cena
trasmetterà il «bip bip»
della signorina Filomena.

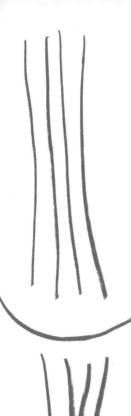

# Il pianeta Giuseppe

Giuseppe Della Seta,
anni quarantatre, –
professione pianeta.
La cosa vi meraviglia?
Vi pare comica?
Un signore che ha famiglia
dovrebbe avere un'occupazione
meno astronomica?
Abbiate un po' di comprensione.
Il pianeta Giuseppe
non fa niente di male:
senza tante parole
compie il giro del sole
in giorni trecento,
sessantacinque meno della Terra,
con tutto che manca
d'allenamento.
Notiamo che si tratta
di un pianeta in pigiama.
Dormiva quando fu promosso
al rango interplanetario
e giusto aveva indosso
un pigiama rosso.
Molti sognano di volare
ma non si staccano dal cuscino:
di Giuseppe è rimasto appena
l'orologio sul comodino.

# La stazione spaziale

Nella stazione spaziale
c'è un traffico infernale.
Astronavi che vengono,
astronavi che vanno,
astronavi di prima classe
per quelli che non pagano le tasse.
L'altoparlante
non tace un istante:
«È in partenza dal primo binario
il rapido interplanetario.
Prima fermata Saturno».
«L'astroletto da Giove
viaggia con un ritardo
di minuti trentanove».
La gente protesta:
– Che storia è questa qua?
Mai un po' di puntualità.
– Devo essere a Plutone
prima di desinare!
– Io perdo un grosso affare:
mi sentiranno quelli
dell'Amministrazione...

In un angolo della stazione
due timidi sposini
in viaggio di nozze:
vanno su certi pianetini
di un'altra nebulosa
dove hanno una zia
che si chiama Ponti Rosa
e fa la portinaia
in un osservatorio d'astronomia.

E questo è un venditore
di frigoriferi a rate:
dice che su Nettuno
non c'è ancora stato nessuno
del suo ramo,
farà quattrini a palate.

Questa signorina,
maestra di ricamo,
va su Venere per un corso
di perfezionamento,
ma il suo fidanzato
non è troppo contento,
lui sta a Milano,
e fa l'impiegato,
ha paura che sposi un Venusiano.

49

Nelle edicole ci sono
i giornali spaziali:
«Il paese di Arturo»,
«La gazzetta dell'Orsa Minore»,
«L'osservatore
del Sagittario,
con supplemento straordinario
a fumetti».
Diamo un'occhiata ai titoli:
«Ultimissime da Sirio:
la vittoria nel campionato
manda le folle in delirio».
«Rapina: casse vuote
nella banca di Boote».
«Il delitto di Marte
avvolto nel mistero».

Un momento, un momento:
ma allora il cosmo intero
non sarebbe che un ingrandimento
di qualche paesotto
dell'Ohio o del Varesotto?
A parte le astronavi,
questa specie di stazione
potrebbe stare tutta
in provincia di Frosinone
o di Piacenza...

Forse ho visto troppi film di fantascienza.

# Dal dottore

È tanto magrino
signora il bambino.
A respirare stenta:
quando gli si fa dire trentatre
è già tanto se dice trenta.
Un cambiamento d'aria
secondo me si addice:
lo mandi a quel campeggio
sulla Chioma di Berenice.

# L'ascensore

Io so che un giorno l'ascensore
al quarto piano non si fermerà,
continuando la sua corsa
il soffitto bucherà,

salirà tra due comignoli
piú su delle nuvole e del vento
e prima di tornare a casa
farà il giro del firmamento.

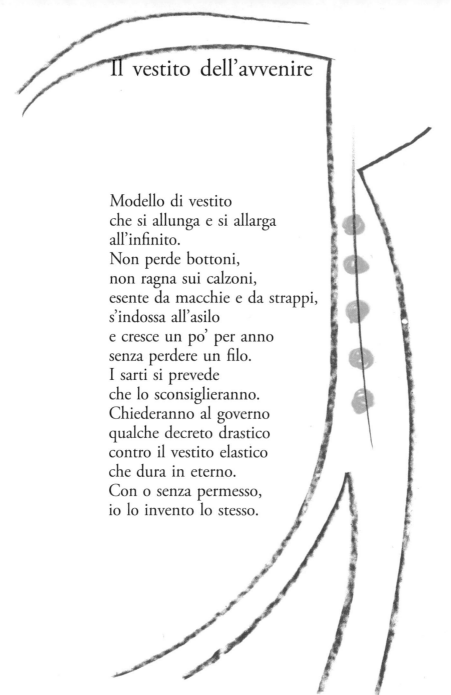

# Il vestito dell'avvenire

Modello di vestito
che si allunga e si allarga
all'infinito.
Non perde bottoni,
non ragna sui calzoni,
esente da macchie e da strappi,
s'indossa all'asilo
e cresce un po' per anno
senza perdere un filo.
I sarti si prevede
che lo sconsiglieranno.
Chiederanno al governo
qualche decreto drastico
contro il vestito elastico
che dura in eterno.
Con o senza permesso,
io lo invento lo stesso.

# Invenzione
## dei francobolli

Non capisco perché
la colla dei francobolli
la fanno sciapa,
sapor di rapa.
Avanti, chi inventa
i francobolli al ribes
e quelli alla menta?
Oh, che passione
i francobolli al limone...
Che delizia, che rarità
i francobolli al ratafià.

# Teledramma

Signori e buona gente,
venite ad ascoltare:
un caso sorprendente
andremo a raccontare.

È successo a Milano
e tratta di un dottore
che è caduto nel video
del suo televisore.

Con qualsiasi tempo,
ad ogni trasmissione
egli stava in poltrona
a guardare la televisione.

Incurante dei figli
e della vecchia mamma
dalle sedici a mezzanotte
non perdeva un programma.

Riviste, telegiornali,
canzoni oppure balli,
romanzi oppur commedie,
telefilm, intervalli,

tutto ammirava, tutto
per lui faceva brodo:
nella telepoltrona
piantato come un chiodo.

Ma un dí per incantesimo
o malattia (che ne dite?
non può darsi che avesse
la televisionite?)

durante un intervallo
con la fontana di Palermo
decollò dalla poltrona
e cadde nel teleschermo.

Ora è là in mezzo alla vasca
che sta per affogare:
parenti, amici in lacrime
lo vorrebbero aiutare,

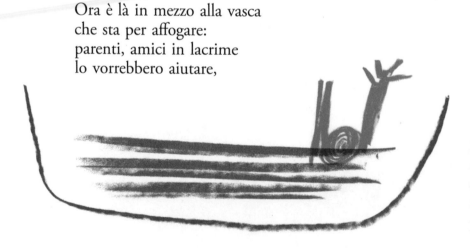

chi lo tira per la cravatta
chi lo prende per il naso
non c'è verso di risolvere
il drammatico telecaso.

Andrà in Eurovisione?
Diventerà pastore
di quei greggi di pecore
che sfilano per ore?

Riceverà i malati
da quella scatoletta?
Come farà dopo la visita
a scrivere la ricetta?

Ma tra poco, purtroppo,
la trasmissione finisce:
e se il video si spegne,
il misero dove finisce?

Fortuna che il suo figliolo
studioso di magnetismo,
per ripescarlo escogita
un abile meccanismo.

Compra un altro televisore
e glielo mette davanti;
il dottore ci si specchia
e dopo pochi istanti

per forza d'attrazione
schizza fuori da quello vecchio
e già sta per tuffarsi
nel secondo apparecchio.

Ma nel momento preciso
che galleggia nell'aria,
piú veloce di gabbiano
o nave interplanetaria,

il figlio elettrotecnico,
svelto di mano e di mente,
spegne i due televisori
contemporaneamente.

Cade il dottor per terra,
e un bernoccolo si fa:
meglio cento bernoccoli
che perdere la libertà.

Il vestito di Arlecchino

# Il gioco dei «se»

Se comandasse Arlecchino
il cielo sai come lo vuole?
A toppe di cento colori
cucite con un raggio di sole.

Se Gianduia diventasse
ministro dello Stato,
farebbe le case di zucchero
con le porte di cioccolato.

Se comandasse Pulcinella
la legge sarebbe questa:
a chi ha brutti pensieri
sia data una nuova testa.

# Il vestito di Arlecchino

Per fare un vestito ad Arlecchino
ci mise una toppa Meneghino,

ne mise un'altra Pulcinella,
una Gianduia, una Brighella.

Pantalone, vecchio pidocchio,
ci mise uno strappo sul ginocchio,

e Stenterello, largo di mano,
qualche macchia di vino toscano.

Colombina che lo cucí
fece un vestito stretto cosí.

Arlecchino lo mise lo stesso
ma ci stava un tantino perplesso.

Disse allora Balanzone,
bolognese e dottorone:

«Ti assicuro e te lo giuro
che ti andrà bene il mese venturo

se osserverai la mia ricetta:
un giorno digiuno e l'altro bolletta».

# I viaggi di Pulcinella

Pulcinella andava a Biella,
montò sopra una carrozzella,
e se il cavallo era attaccato
certo a quest'ora era arrivato.

Pulcinella andava a Torino,
montò sopra un cavallino,
e se il cavallo non era di legno
andava a Torino e anche a Collegno.

# Pranzo e cena

Pulcinella ed Arlecchino
cenavano insieme in un piattino:
e se nel piatto c'era qualcosa
chissà che cena appetitosa.

Arlecchino e Pulcinella
bevevano insieme in una scodella,
e se la scodella vuota non era
chissà che sbornia, quella sera.

# Quanti pesci ci sono nel mare?

Tre pescatori di Livorno
disputarono un anno e un giorno

per stabilire e sentenziare
quanti pesci ci sono nel mare.

Disse il primo: «Ce n'è piú di sette,
senza contare le acciughette».

Disse il secondo: «Ce n'è piú di mille,
senza contare scampi ed anguille».

Il terzo disse: «Piú di un milione!»
E tutti e tre avevano ragione.

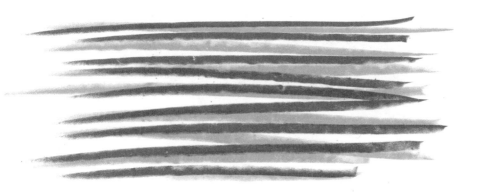

# I tre dottori di Salamanca

Tre dottori di Salamanca
si misero in mare su una panca,
e se non andavano subito a fondo
facevano certo il giro del mondo.

Tre dottori di Saragozza
si misero in mare in una tinozza,
e se la tinozza a galla restava
qui la storiella non terminava.

# Domande

Un tale mi venne a domandare:
quante fragole crescono in mare?
Io gli ho risposto di mia testa:
quante sardine nella foresta.

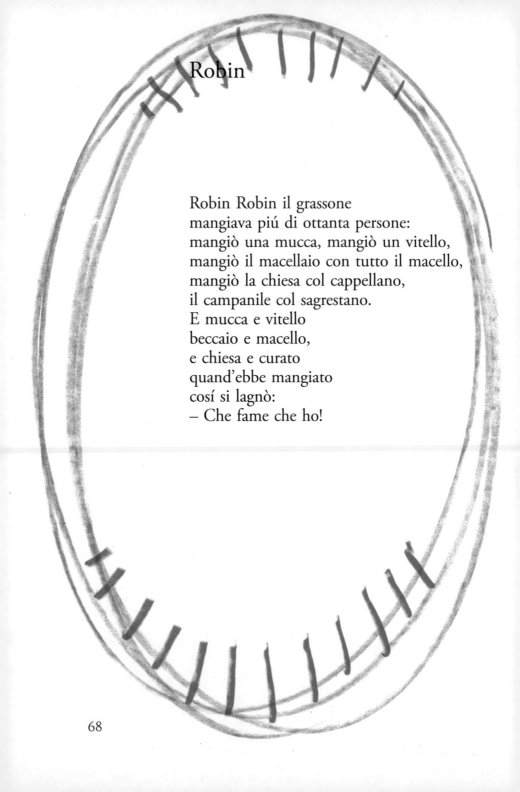

# Robin

Robin Robin il grassone
mangiava piú di ottanta persone:
mangiò una mucca, mangiò un vitello,
mangiò il macellaio con tutto il macello,
mangiò la chiesa col cappellano,
il campanile col sagrestano.
E mucca e vitello
beccaio e macello,
e chiesa e curato
quand'ebbe mangiato
cosí si lagnò:
– Che fame che ho!

# Filastrocca impertinente

Filastrocca impertinente,
chi sta zitto non dice niente,
chi sta fermo non cammina,
chi va lontano non s'avvicina,
chi si siede non sta ritto,
chi va storto non va dritto,
e chi non parte, in verità,
in nessun posto arriverà.

# Filastrocca brontolona

Filastrocca brontolona,
brontola il tuono quando tuona,

brontola il mare quando ha in testa
di preparare una tempesta,

brontola il nonno: «Ah, come vorrei
ritornare ai tempi miei...

Non c'erano allora, egregi signori,
elicotteri e micromotori,

e senza fare tanto fracasso
in carrozzella si andava a spasso».

Accende la pipa, inforca gli occhiali
e affonda il naso nei giornali...

Ma tosto soggiunge: «Però... però...
senza lo scooter, che figura fo?

Il mondo cammina, il mondo ha fretta!»
Viva il nonno in motoretta.

# Primo gelo

Filastrocca del primo gelo,
gela la neve caduta dal cielo,
gela l'acqua del rubinetto,
gela il fiore nel suo vasetto,
gela la coda del cavallo,
gela la statua sul piedistallo.
Nella vetrina il manichino
trema di freddo, poverino;
mettetegli addosso un bel cappotto,
di quelli che costano un terno al lotto:
finché qualcuno lo comprerà,
per un bel pezzo si scalderà.

# Teste fiorite

Se invece dei capelli sulla testa
ci spuntassero i fiori, sai che festa?
Si potrebbe capire a prima vista
chi ha il cuore buono, chi la mente trista.
Il tale ha in fronte un bel ciuffo di rose:
non può certo pensare a brutte cose.
Quest'altro, poveraccio, è d'umor nero:
gli crescono le viole del pensiero.
E quello con le ortiche spettinate?
Deve avere le idee disordinate,
e invano ogni mattina
spreca un vasetto o due di brillantina.

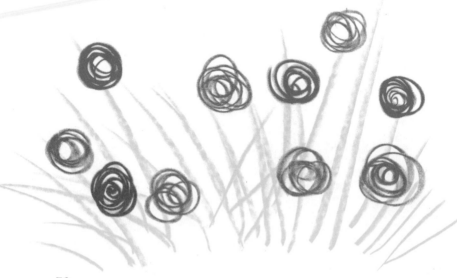

# La dinastia dei Poltroni

Dunque se state buoni
oggi vi spiego
la dinastia dei Poltroni.
Capostipite e fondatore
fu re Poltrone Primo,
detto il Dormitore,
che regnò su Poltrònia
vent'anni e un palmo.
Dopo di lui, nell'ordine,
regnarono:
Poltrone Secondo, detto il Calmo;
Poltrone Terzo,
detto il Cuscinetto;
Poltrone Quarto,
inventore dello scaldaletto;
Poltrone Quinto,
detto lo Spinto,
perché se non lo spingevano
sul trono

s'addormentava sui gradini;
Poltrone Sesto,
lo Schiacciapiumini;
Poltrone Settimo,
il Riposato;
Poltrone Ottavo, detto il Nono
per isbaglio;
Poltrone Decimo,
detto Accidenti-alla-sveglia
(sposò la regina Sbadiglia
ed ebbero per figli
diciassette sbadigli).
Infine la corona
coronò la pelata
di Poltrone Undicesimo,
detto il Medesimo,
perché per lui tutto
faceva lo stesso:
il bello, il brutto,
la pace, la guerra,
il cielo, la terra,
la frittata, il ragú,
la lepre in salmí.
Con lui la dinastia finí.

# Gli esquimesi

Strana gente, gli esquimesi:
sono di ghiaccio i loro paesi;

di ghiaccio piazze, strade e stradette,
sono di ghiaccio le casette;

il soffitto e il pavimento
sono di ghiaccio, non di cemento.

Perfino il letto è di buon ghiaccio,
tagliato e squadrato col coltellaccio.

Ed è di ghiaccio, almeno pare,
anche la pietra del focolare.

Di non-ghiaccio c'è una cosa,
la piú segreta, la piú preziosa:

il cuore degli uomini che basta da solo
a scaldare perfino il Polo.

# Giovannino Perdigiorno

Giovannino Perdigiorno
ha perso il tram di mezzogiorno,
ha perso la voce, l'appetito,
ha perso la voglia di alzare un dito,
ha perso il turno, ha perso la quota,
ha perso la testa (ma era vuota),
ha perso le staffe, ha perso l'ombrello,
ha perso la chiave del cancello,
ha perso la foglia, ha perso la via:
tutto è perduto fuorché l'allegria.

# Dopo la pioggia

Dopo la pioggia viene il sereno,
brilla in cielo l'arcobaleno:

è come un ponte imbandierato
e il sole vi passa, festeggiato.

È bello guardare a naso in su
le sue bandiere rosse e blu.

Però lo si vede – questo è il male –
soltanto dopo il temporale.

Non sarebbe più conveniente
il temporale non farlo per niente?

Un arcobaleno senza tempesta,
questa sí che sarebbe una festa.

Sarebbe una festa per tutta la terra
fare la pace prima della guerra.

# In fila indiana

Filastrocca in fila indiana,
per la tribú dei Piedi di Rana,

per la tribú dei Piedi Neri,
per gli Apaches, gran guerrieri,

per i Navajos, i Mohicani,
gli Irochesi ed altri indiani,

compresi quelli del mio quartiere
che fanno la guerra tutte le sere,

poi se la mamma chiama «Carletto!»
fanno la pace e vanno tutti a letto.

# Il cappotto

O caso proprio strano
ma da giocarci a lotto:
ho visto per la strada
camminare un cappotto.
Senza piedi, senza mani
se ne andava via di là
un piccolino
nella giacca del papà.

# Il malatino

Filastrocca del bimbo malato,
con il decotto, con il citrato,

con l'arancia sul comodino,
tagliata a spicchi in un piattino.

Per tutti i mali di testa e di pancia
sul comodino c'è sempre un'arancia,

tra un confetto ed un mentino
per consolare il malatino.

Viene il dottore, «Vediamo cos'è»,
e ti fa dire trentatre.

Poi di sera viene la sera
viene la mamma leggera leggera,

e succhiando la sua menta
il malatino s'addormenta.

# Ferragosto

Filastrocca vola e va
dal bambino rimasto in città.
Chi va al mare ha vita serena
e fa i castelli con la rena,
chi va ai monti fa le scalate
e prende la doccia alle cascate...

E chi quattrini non ne ha?
Solo solo resta in città:
si sdraia al sole sul marciapiede,
se non c'è un vigile che lo vede,
e i suoi battelli sottomarini
fanno vela nei tombini.

Quando divento Presidente
faccio un decreto a tutta la gente;
«Ordinanza numero uno:
in città non resta nessuno;
ordinanza che viene poi,
tutti al mare, paghiamo noi,
inoltre le Alpi e gli Appennini
sono donati a tutti i bambini.

Chi non rispetta il decretato
va in prigione difilato».

# Un bambino al mare

Conosco un bambino cosí povero
che non ha mai veduto il mare:

a Ferragosto lo vado a prendere,
in treno a Ostia lo voglio portare.

– Ecco, guarda – gli dirò –
questo è il mare, pigliane un po'! –

Col suo secchiello, fra tanta gente,
potrà rubarne poco o niente:

ma con gli occhi che sbarrerà
il mare intero si prenderà.

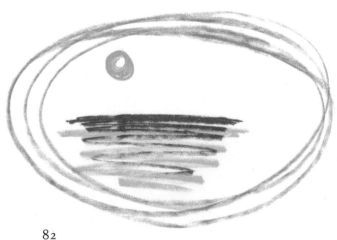

# Il turno

Il mattino fa ogni giorno
il giro del mondo
a destare le nazioni,
gli uccelli, i boschi, i mari,
i maestri e gli scolari.

Da Oriente a Occidente
il sole apre le scuole,
i gessetti cantano
sulle lavagne nere le parole
piú bianche di tutte le lingue.

Si fa un po' per uno a studiare:
quando a Pechino
i ragazzi vanno a giocare
entrano in classe quelli di Berlino,
e quando vanno a letto ad Alma Atà
suona la sveglia a Lima e a Bogotà.
Si fa il turno: cosí non va perduto
nemmeno un minuto.

# Girotondo di tutto il mondo

Filastrocca per tutti i bambini,
per gli italiani e per gli abissini,
per i russi e per gli inglesi,
gli americani ed i francesi,
per quelli neri come il carbone,
per quelli rossi come il mattone,
per quelli gialli che stanno in Cina
dove è sera se qui è mattina,
per quelli che stanno in mezzo ai ghiacci
e dormono dentro un sacco di stracci,
per quelli che stanno nella foresta
dove le scimmie fan sempre festa,
per quelli che stanno di qua o di là,
in campagna od in città,
per i bambini di tutto il mondo
che fanno un grande girotondo,
con le mani nelle mani,
sui paralleli e sui meridiani.

I colori dei mestieri

# I colori
# dei mestieri

Io so i colori dei mestieri:
sono bianchi i panettieri,
s'alzano prima degli uccelli
e han la farina nei capelli;
sono neri gli spazzacamini,
di sette colori son gli imbianchini;
gli operai dell'officina
hanno una bella tuta azzurrina,
hanno le mani sporche di grasso:
i fannulloni vanno a spasso,
non si sporcano nemmeno un dito,
ma il loro mestiere non è pulito.

# Il ragioniere a dondolo

Conosco un ragioniere,
un ragioniere a dondolo.
In banca fa il cassiere,
in tram legge il giornale,
non è un tipo speciale,
bassotto, un po' pelato,
con pancetta e panciotto,
ce n'è di ragionieri
piú belli per il mondo,
dottori ed altra gente
dall'aspetto imponente,
ma che ne sa la gente
se uno è solamente
un ragioniere, oppure
è un ragioniere a dondolo?
È in casa che si vede
se uno ha un bimbo biondo
che si arrampica in groppa
al suo bel babbo a dondolo,
e insieme galoppano
fra il tinello e il salotto
senza darsi pensiero
dell'inquilino del piano di sotto.

# L'arrotino

O quell'ometto, con quel carretto,
che giri la ruota in quel vicoletto,
che giri la ruota tutto il dí:
pedali, pedali e sei sempre lí!

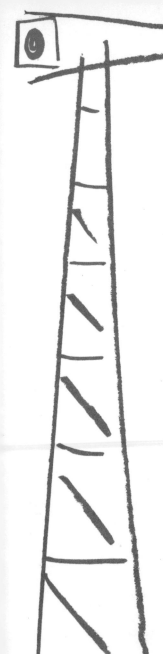

# L'omino della gru

*TOWER CRANE*

Filastrocca di sotto in su
per l'omino della gru.

*miner*
Sotto terra va il minatore,
dov'è buio a tutte l'ore;
*DARK*
*STREET SWEEPER* *MANHOLE*
lo spazzino va nel tombino,
sulla terra sta il contadino, *FARMER*

*TOP OF POLES*
in cima ai pali l'elettricista
gode già una bella vista,

*BRICKLAYER*
il muratore va sui tetti
e vede tutti piccoletti... *LITTLE GUYS*

*UP THERE*
ma piú in alto, lassú lassú,
c'è l'omino della gru:

cielo a sinistra, cielo a destra,
e non gli gira mai la testa.

# Lo spazzacamino

Quando è bianco lo spazzacamino?
Un poco alla festa, un poco al mattino.

Tutto il giorno se ne va
per paesi e per città,

in casa dei ricchi e dei poveretti,
su per le cappe e per i tetti

con le mani e con i ginocchi:
di bianco gli resta il bianco degli occhi.

# Pesci! Pesci!

Pescatore che vai sul mare
quanti pesci puoi pescare?

Posso pescarne una barca piena
con un tonno e una balena,

ma quel ch'io cerco nella rete
forse voi non lo sapete:

cerco le scarpe del mio bambino
che va scalzo, poverino.

Proprio oggi ne ho viste un paio
nella vetrina del calzolaio:

ma ce ne vogliono di sardine
per fare un paio di scarpine...

Poi con due calamaretti
gli faremo i legaccetti.

# Il vigile urbano

Chi è piú forte del vigile urbano?
Ferma i tram con una mano.

Con un dito, calmo e sereno,
tiene indietro un autotreno:

cento motori scalpitanti
li mette a cuccia alzando i guanti.

Sempre in croce in mezzo al baccano:
chi è piú paziente del vigile urbano?

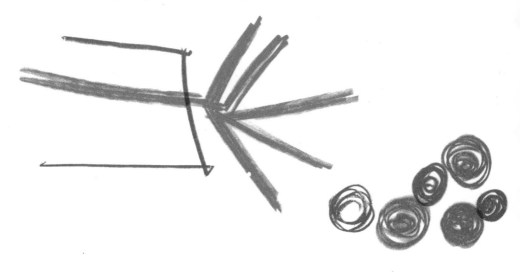

# Il gregario

Filastrocca del gregario
corridore proletario,

che ai campioni di mestiere
deve far da cameriere,

e sul piatto, senza gloria,
serve loro la vittoria.

Al traguardo, quando arriva,
non ha applausi, non evviva.

Col salario che si piglia
fa campare la famiglia

e da vecchio poi si acquista
un negozio da ciclista

o un baretto, anche piú spesso,
con la macchina per l'espresso.

# Il pane

*JF I WERE A BAKER*

S'io facessi il fornaio
vorrei cuocere un pane
cosí grande da sfamare *FEED*
tutta, tutta la gente
che non ha da mangiare.

Un pane piú grande del sole,
dorato, profumato
come le viole.

Un pane cosí
verrebbero a mangiarlo
dall'India e dal Chilí
i poveri, i bambini,
i vecchietti e gli uccellini.
Sarà una data
da studiare a memoria: *BY HEART*
un giorno senza fame!
Il piú bel giorno di tutta la storia.

# A voce bassa

Filastrocca a voce bassa,
chi è di notte che passa e ripassa?

È il Principe Fine e non può dormire
perché ha sentito una foglia stormire?

O forse è l'omino dei sogni che porta
i numeri del lotto di porta in porta?

È un signore col mal di denti,
in compagnia di mille tormenti?

L'ho visto: è il vigile notturno
che fa la ronda, taciturno:

i ladri scantonano per la paura,
la città dorme sicura.

# Speranza

S'io avessi una botteguccia
fatta d'una sola stanza
vorrei mettermi a vendere
sai cosa? La speranza.

«Speranza a buon mercato!»
Per un soldo ne darei
ad un solo cliente
quanto basti per sei.

E alla povera gente
che non ha da campare
darei tutta la mia speranza
senza farla pagare.

# Il giornalista

O giornalista inviato speciale *SPECIAL CORRESPONDENT*
quali notizie porti al giornale?

Sono stato in America, in Cina,
in Scozia, Svezia ed Argentina,
tra i Soviéti e tra i Polacchi,
Francesi, Tedeschi, Sloveni e Slovacchi,
ho parlato con gli Eschimesi,
con gli Ottentotti, coi Siamesi,
vengo dal Cile, dall'India e dal Congo,
dalla tribú dei Bongo-Bongo...
e sai che porto? una sola notizia!
Sarò licenziato per pigrizia. *I WILL BE FIRED FOR LAZINESS*
Però il fatto è sensazionale,
merita un titolo cubitale: *HEADLINE*
tutti i popoli della terra
han dichiarato guerra alla guerra.

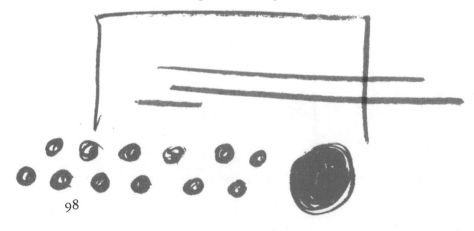

# L'arena

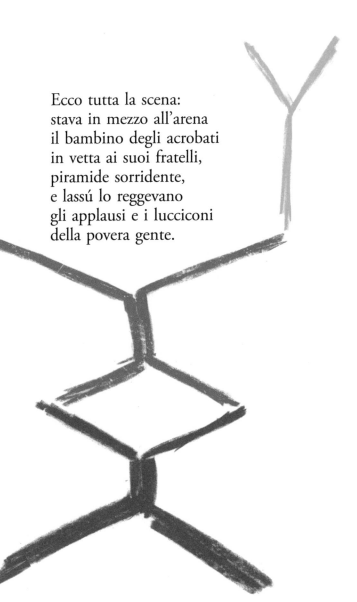

Ecco tutta la scena:
stava in mezzo all'arena
il bambino degli acrobati
in vetta ai suoi fratelli,
piramide sorridente,
e lassú lo reggevano
gli applausi e i lucciconi
della povera gente.

# Stracci! Stracci!

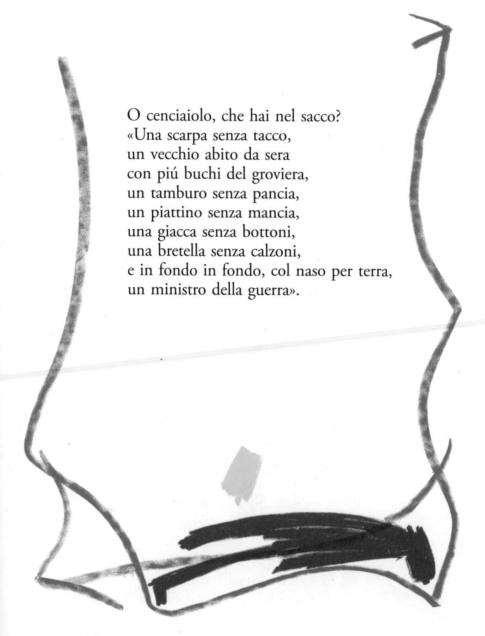

O cenciaiolo, che hai nel sacco?
«Una scarpa senza tacco,
un vecchio abito da sera
con piú buchi del groviera,
un tamburo senza pancia,
un piattino senza mancia,
una giacca senza bottoni,
una bretella senza calzoni,
e in fondo in fondo, col naso per terra,
un ministro della guerra».

# Lo spazzino

Io sono quello che scopa e spazza
con lo scopino e con la ramazza:
carta straccia, vecchie latte,
bucce secche, giornali, ciabatte,
mozziconi di sigaretta,
tutto finisce nella carretta.

Scopo scopo tutto l'anno,
quando son vecchio sapete che fanno?
Senza scopa, che è che non è,
scopano via pure me.

# Gli odori dei mestieri

Io so gli odori dei mestieri:
di noce moscata sanno i droghieri,
sa d'olio la tuta dell'operaio,
di farina sa il fornaio,
sanno di terra i contadini,
di vernice gli imbianchini,
sul camice bianco del dottore
di medicine c'è un buon odore.
I fannulloni, strano però,
non sanno di nulla e puzzano un po'.

# Il mago di Natale

# Il mago di Natale

S'io fossi il mago di Natale
farei spuntare un albero di Natale
in ogni casa, in ogni appartamento
dalle piastrelle del pavimento,
ma non l'alberello finto,
di plastica, dipinto
che vendono adesso all'upim:
un vero abete, un pino di montagna,
con un po' di vento vero
impigliato tra i rami,
che mandi profumo di resina
in tutte le camere,
e sui rami i magici frutti:
regali per tutti.

Poi con la mia bacchetta me ne andrei
a far magie
per tutte le vie.

In via Nazionale
farei crescere un albero di Natale
carico di bambole
d'ogni qualità,
che chiudono gli occhi

e chiamano papà,
camminano da sole,
ballano il *rock an'roll*
e fanno le capriole.

Chi le vuole, le prende:
gratis, s'intende.

In piazza San Cosimato
faccio crescere l'albero
del cioccolato;
in via del Tritone
l'albero del panettone;
in viale Buozzi
l'albero dei maritozzi,
e in largo di Santa Susanna
quello dei maritozzi con la panna.

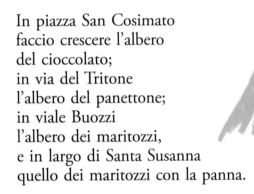

Continuiamo la passeggiata?
La magia è appena cominciata:
dobbiamo scegliere il posto
all'albero dei trenini:
va bene piazza Mazzini?

Quello degli aeroplani
lo faccio in via dei Campani.

Ogni strada avrà un albero speciale
e il giorno di Natale
i bimbi faranno
il giro di Roma
a prendersi quel che vorranno.

Per ogni giocattolo
colto dal suo ramo
ne spunterà un altro
dello stesso modello
o anche più bello.

Per i grandi, invece, ci sarà,
magari in via Condotti,
l'albero delle scarpe e dei cappotti.

Tutto questo farei se fossi un mago.

Però non lo sono
che posso fare?

Non ho che auguri da regalare:
di auguri ne ho tanti,
scegliete quelli che volete,
prendeteli tutti quanti.

# Lo zampognaro

Se comandasse lo zampognaro
che scende per il viale,
sai che cosa direbbe
il giorno di Natale?

«Voglio che in ogni casa
spunti dal pavimento
un albero fiorito
di stelle d'oro e d'argento».

Se comandasse il passero
che sulla neve zampetta,
sai che cosa direbbe
con la voce che cinguetta?

«Voglio che i bimbi trovino,
quando il lume sarà acceso,
tutti i doni sognati
piú uno, per buon peso».

Se comandasse il pastore
del presepe di cartone
sai che legge farebbe
firmandola col lungo bastone?

«Voglio che oggi non pianga
nel mondo un solo bambino,
che abbiano lo stesso sorriso
il bianco, il moro, il giallino».

Sapete che cosa vi dico
io che non comando niente?
Tutte queste belle cose
accadranno facilmente;

se ci diamo la mano
i miracoli si faranno
e il giorno di Natale
durerà tutto l'anno.

# Il pellerossa nel presepe

Il pellerossa con le piume in testa
e con l'ascia di guerra in pugno stretta,
come è finito tra le statuine
del presepe, pastori e pecorine,
e l'asinello, e i maghi sul cammello,
e le stelle ben disposte,
e la vecchina delle caldarroste?
Non è il tuo posto, via, Toro seduto:
torna presto di dove sei venuto.
Ma l'indiano non sente. O fa l'indiano.
Ce lo lasciamo, dite, fa lo stesso?
O darà noia agli angeli di gesso?
Forse è venuto fin qua,
ha fatto tanto viaggio,
perché ha sentito il messaggio:
pace agli uomini di buona volontà.

# Neve

Poveretto chi non sa
sciare né pattinare.
Di tanta neve, che se ne fa?
Tutto quel ghiaccio non gli serve a nulla.
Di tanta gioia lui non può godere:
al massimo si farà
una granita in un bicchiere.

# L'uomo di neve

Bella è la neve per l'uomo di neve,
che ha vita allegra anche se breve

e in cortile fa il bravaccio
vestito solo d'un cappellaccio.

A lui non vengono i geloni,
i reumatismi, le costipazioni...

Conosco un paese, in verità,
dove lui solo fame non ha.

La neve è bianca, la fame è nera,
e qui finisce la tiritera.

# Capodanno

Filastrocca di Capodanno
fammi gli auguri per tutto l'anno:

voglio un gennaio col sole d'aprile,
un luglio fresco, un marzo gentile,

voglio un giorno senza sera,
voglio un mare senza bufera,

voglio un pane sempre fresco,
sul cipresso il fiore del pesco,

che siano amici il gatto e il cane,
che diano latte le fontane.

Se voglio troppo non darmi niente,
dammi una faccia allegra solamente.

Un treno carico di filastrocche

# La stazione

O che stazione molto importante:
udite la voce dell'altoparlante?
   «Dal marciapiede numero nove
   parte il rapido per Ognidove».
O che stazione di riguardo,
ti chiede scusa se c'è ritardo:
   «L'accelerato, sbuffando e fischiando,
   arriverà alle Non-si-sa-quando».
E come infine è giunto il treno
lei si presenta senza meno:
   «Mi chiamo stazione Cosí-e-cosí,
   tutti quanti scendono qui».

# L'accelerato

L'accelerato è un treno di buon cuore,
incapace di negare un favore:
si ferma, sapete, a certe stazioncine,
appena piú grandine di un casello,
senza nemmeno il passaggio a livello.
   A volte, avrebbe fretta...
   C'è una nebbia maledetta...
   L'accelerato è in ritardo.
Ma quella stazioncina abbandonata,
che se ne sta a guardare
i rapidi schizzar via
senza darle un'occhiata,
oh signore che malinconia!
   «Fermatevi un pochino;
   ce l'ho anch'io il capo col fischietto,
   con tre righe sul berretto,
   e c'è un viaggiatore, perfino,
   nella sala d'aspetto».

«Non posso, non posso,
ho molta premura»
sbuffa l'accelerato;
e fa la grinta dura.
Però diventa rosso...
Eh! eh! che vi dicevo? S'è fermato.
Ha ceduto.
 «Starò qui solo un minuto...»
La stazioncina gli fa una festa!
Vien fuori il capo col berretto in testa,
vien fuori il bigliettario
consultando l'orario...
Il viaggiatore sale
con un piglio da generale
ed il facchino mette su una boria
che starebbe benissimo
nel libro di storia.

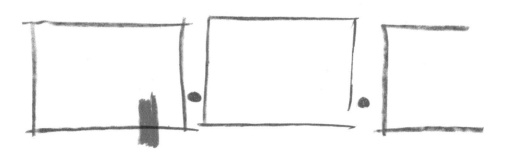

# Terza, seconda, prima

Terza classe, sulle panchine
ci sono operai, soldati, vecchine,

c'è una furba contadinella,
che nel cestino ha una gallinella,

una gallina ed un galletto
che viaggiano senza biglietto...

Seconda classe, c'è un signore,
un commesso viaggiatore,

che ai compagni di viaggio
fa la réclame del suo formaggio...

Prima classe, il passeggero
è un miliardario forestiero:

– Italia bella, io comperare.
Quanti dollari costare? –

Ma il ferroviere, pronto e cortese:
– Noi non vendiamo il nostro Paese.

# La galleria

La galleria è una notte per gioco,
è corta corta e dura poco.

Che piccola notte scura scura!
Non si fa in tempo ad avere paura.

# La sala d'aspetto

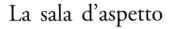

Chi non ha casa e non ha letto
si rifugia in sala d'aspetto,

di una panca si contenta,
tra due fagotti s'addormenta.

Il controllore pensa: «Chissà
quel viaggiatore dove anderà?»

Ma lui viaggia solo di giorno,
sempre a piedi se ne va attorno:

cammina, cammina, eh, sono guai,
la sua stazione non trova mai!

Non trova lavoro, non ha tetto,
di sera torna in sala d'aspetto:

e aspetta, aspetta, ma sono guai,
il suo treno non parte mai.

Se un fischio echeggia di prima mattina,
lui sogna d'essere all'officina.

Controllore non lo svegliare:
un poco ancora lascialo sognare.

# Il diretto di Campobasso

Sul diretto di Campobasso
ho visto un signore grasso grasso,

tutti in piedi, e lui seduto
su un cuscino di velluto,

e covava il suo cuscino
come un uovo d'oro zecchino.

# Il treno merci

Dal primo all'ultimo vagone
è tutto nero di carbone,
ma affacciato a uno sportellino
c'è il muso bianco di un vitellino.

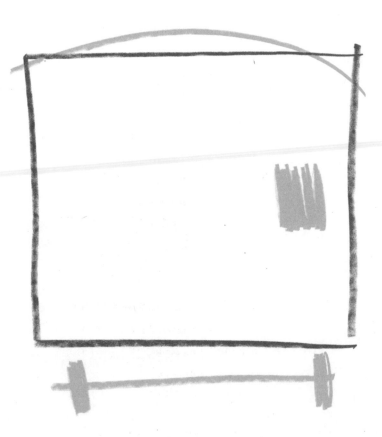

# La tradotta

Cosa canta il soldato, soldatino,
dondolando, dondolando gli scarponi,
seduto con le gambe ciondoloni
sulla tradotta che parte da Torino?

«Macchinista del vapore,
metti l'olio agli stantuffi,
della guerra siamo stufi
e a casa nostra vogliamo andà».

Soldatino, canta canta:
cavalli otto, uomini quaranta.

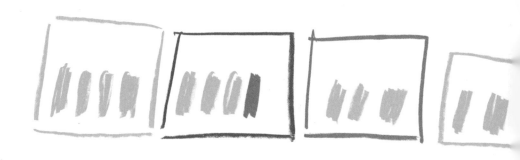

# Il treno degli emigranti

Non è grossa, non è pesante
la valigia dell'emigrante...

C'è un po' di terra del mio villaggio,
per non restare solo in viaggio...

un vestito, un pane, un frutto,
e questo è tutto.

Ma il cuore no, non l'ho portato:
nella valigia non c'è entrato.

Troppa pena aveva a partire,
oltre il mare non vuol venire.

Lui resta, fedele come un cane,
nella terra che non mi dà pane:

un piccolo campo, proprio lassú...
Ma il treno corre: non si vede piú.

# Il treno dei bambini

C'è un paese dove i bambini
hanno per loro tanti trenini,

ma treni veri, che questa stanza
per farli andare non è abbastanza,

treni lunghi da qui fin là,
che attraversano la città.

Il capostazione è un ragazzetto
appena piú grande del fischietto,

il capotreno è una bambina
allegra come la sua trombettina;

sono bambini il controllore,
il macchinista, il frenatore.

Tutti i posti sui vagoncini
sono vicini ai finestrini.

E il bigliettario sul suo sportello
ha attaccato questo cartello:

«I signori
genitori

se hanno voglia di viaggiare
debbono farsi accompagnare».

# Il vagone letto

Ah, s'io fossi il padrone del treno,
certe sere quando è pieno,

certe sere piovose e grige
che i bimbi dormono sulle valige,

e tu vedi solo un fagotto
ma è un piccolino nel suo cappotto,

e un marinaio sul pavimento
dorme e sogna il suo bastimento...

io, biglietto o non biglietto,
li manderei tutti in vagone letto.

Darei loro una bella cabina,
con la cuccia pulita e caldina,

e a cullarli ci penseranno
le ruote che vanno, che vanno, che vanno...

# Le favole a rovescio

# Le favole a rovescio

C'era una volta
un povero lupacchiotto,
che portava alla nonna
la cena in un fagotto.
E in mezzo al bosco
dov'è piú fosco
incappò nel terribile
Cappuccetto Rosso,
armato di trombone
come il brigante Gasparone...
Quel che successe poi,
indovinatelo voi.
Qualche volta le favole
succedono all'incontrario
e allora è un disastro:
Biancaneve bastona sulla testa
i nani della foresta,
la Bella Addormentata non si addormenta,
il Principe sposa
una brutta sorellastra,
la matrigna tutta contenta,
e la povera Cenerentola
resta zitella e fa
la guardia alla pentola.

# Il paese dei bugiardi

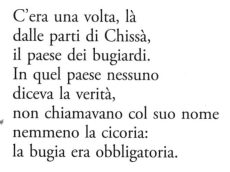

C'era una volta, là
dalle parti di Chissà,
il paese dei bugiardi.
In quel paese nessuno
diceva la verità,
non chiamavano col suo nome
nemmeno la cicoria:
la bugia era obbligatoria.

Quando spuntava il sole
c'era subito uno pronto
a dire «Che bel tramonto!»
Di sera, se la luna
faceva piú chiaro
di un faro,
si lagnava la gente:
«Ohibò, che notte bruna,
non ci si vede niente».

Se ridevi ti compativano:
«Poveraccio, peccato,
che gli sarà mai capitato
di male?»
Se piangevi: «Che tipo originale,
sempre allegro, sempre in festa.
Deve avere i milioni nella testa».

Chiamavano acqua il vino,
seggiola il tavolino
e tutte le parole
le rovesciavano per benino.
Fare diverso non era permesso,
ma c'erano tanto abituati
che si capivano lo stesso.

Un giorno in quel paese
capitò un povero ometto
che il codice dei bugiardi
non l'aveva mai letto,
e senza tanti riguardi
se ne andava intorno
chiamando giorno il giorno
e pera la pera,
e non diceva una parola
che non fosse vera.
Dall'oggi al domani
lo fecero pigliare
dall'acchiappacani
e chiudere al manicomio.
«È matto da legare:
dice sempre la verità».
«Ma no, ma via, ma va'...»
«Parola d'onore:
è un caso interessante,
verranno da distante
cinquecento e un professore
per studiargli il cervello...»

La strana malattia
fu descritta in trentatre puntate
sulla «Gazzetta della bugia».
Infine per contentare
la curiosità
popolare
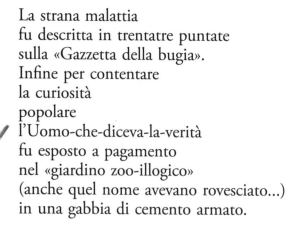
l'Uomo-che-diceva-la-verità
fu esposto a pagamento
nel «giardino zoo-illogico»
(anche quel nome avevano rovesciato...)
in una gabbia di cemento armato.

Figurarsi la ressa.
Ma questo non interessa.
Cosa piú sbalorditiva,
la malattia si rivelò infettiva,
e un po' alla volta in tutta la città
si diffuse il bacillo
della verità.

Dottori, poliziotti, autorità
tentarono il possibile
per frenare l'epidemia.
Macché, niente da fare.
Dal piú vecchio al piú piccolino
la gente ormai diceva
pane al pane, vino al vino,
bianco al bianco, nero al nero:
liberò il prigioniero,
lo elesse presidente,
e chi non mi crede
non ha capito niente.

# Le belle fate

Le belle fate
dove saranno andate?
Non se ne sente piú parlare.
Io dico che sono scappate:
si nascondono in fondo al mare,
oppure sono in viaggio per la luna
in cerca di fortuna.
Ma cosa potevano fare?
Erano disoccupate!
Nessuno le voleva ascoltare.
Tutto il giorno se ne stavano imbronciate
nel castello diroccato ad aspettare
che qualcuno le mandasse a chiamare.

Girava il mondo per loro
in cerca di lavoro
una streghina piccina picciò,
col naso a becco,
magra come uno stecco,
che tremava di freddo perché
era senza paltò.

E appena la vedevano tornare
si facevano tutte a domandare:
«Ebbene com'è andata?
Avremo un impiego?»

«Lasciatemi, vi prego,
lasciatemi respirare,
sono tutta affannata...»
«Ma com'è andata?»
«Male!
C'è una crisi generale.
Ho salito tutte le scale,
bussato a tutti i portoni,
mendicato sui bastioni,
e dappertutto mi hanno risposto
che per voi non c'è posto.
Vi dico, una cosa seria,
altro che storie!
Fame, freddo, miseria...
La gente ha un sacco di guai:
i debiti, le tasse, la pigione,
la bolletta del gas,
i nonni aspettano la pensione
che non arriva mai...
Chi volete che pensi a noi?
E poi, e poi,
c'è sempre per aria la guerra:
ho visto certi generaloni,
con certi speroni,
con certi galloni,
con certi cannoni
dalla bocca spalancata...
Figuratevi come sono scappata.
Per noi su questa terra non c'è posto.
Ci vogliono cacciare ad ogni costo.
Voi se non mi credete,
fate come volete.

Io per me, faccio il bagaglio
e me la squaglio».

E le povere fate
ve le immaginate
a fare le valige?
Per l'emozione le trecce
della fata turchina
son diventate grige.
Il mago nella fretta
si scorda la bacchetta
e Cappuccetto perde la berretta.
Che spavento!
Biancaneve ha uno svenimento.
Il castello si vuota in un momento.
A bordo di una nuvola
la compagnia se ne va...
Dove, nessuno lo sa.

Forse in qualche paese
dove si sentono sicure,
dove anche i generali
vogliono bene alle fate
e le circondano di premure
perché sono cosí delicate.
Ed ora io mi domando:
Torneranno? Ma quando?
Nella selva incantata
ci crescono le ortiche,
sul naso della Bella Addormentata
ci passeggiano le formiche,

la porta del Castello è sempre chiusa
e quando i bimbi chiedono una storia
i nonni trovano la scusa
che hanno perso la memoria...

Ma allora torneranno?
Io dico di sí.
Sapete che si fa?
Si va dai generali
con gli stivali
incapricciati di fare la guerra
e si dice cosí:
«Signori, per cortesia
andatevene via da questa terra,
andate sulla luna
o anche piú lontano
in un posto fuori mano,
dove potrete sparare a tutto spiano
e non si sentirà il baccano.

Il mattino vi farete svegliare
con un bombardamento
o un cannoneggiamento,
a vostro piacimento
e ogni sera
direte la preghiera
con la mitragliatrice.
La gente sarà piú felice.
Si potrà stare in pace
tutti i giorni di tutto l'anno,
e di certo cosí
le fate torneranno».

# L'omino dei sogni

L'omino dei sogni
che buffo tipetto!
Mentre tu dormi
senza sospetto
ti si mette accanto al letto
e ti sussurra una parola:
«Vola!»
E tu non domandi nemmeno
«con che?»
Uno due tre:
sei nell'arcobaleno,
aggrappato ad un ombrello,
e scivoli bel bello
dal verde al rosso al giallo,
e a cavallo
del blu
scendi giú, giú, giú...
Ecco il mare:
finirai con l'affogare!
Ma l'omino è lí apposta,
all'orecchio ti si accosta,
e ti sussurra: «Presto!
Ecco i banditi! Scappa lesto lesto!»
O cielo, i banditi,
di nero vestiti,
con la maschera sul viso

e un satanico sorriso
tra quei baffoni...
Ti puntano i tromboni
e pum!
fanno pum! pum! pum!
Tu scappi, sei ferito
al naso oppure al dito,
e già ti manca il cuore,
sei preso, che orrore!
Macché!
Non succederà nulla perché
l'omino dei sogni
ti salva con una parola.
Ecco, ti trovi a scuola
e non sai la lezione.
Una nuova emozione!
Eppure l'hai studiata
alla perfezione!
Possibile che già l'abbia scordata?
È colpa dell'ometto
bizzarro e malignetto
che mentre dormi si arrampica
sul tuo letto
e si diverte a farti sognare,
volare, scappare, disperare...
fin che la mamma viene
a scrollarti per bene,
a svegliarti, ch'è tardi...
E tu ti svegli, guardi
dappertutto, però
l'omino dei sogni non lo vedi:
forse di giorno sta sotto il comò!

# Il pittore

Una volta c'era un pittore
povero in canna:
non aveva nemmeno un colore,
e per fare i pennelli
si era strappati i capelli.

Andò dal padrone del Blu
e gli disse: «Per favore, dammi tu
un po' di colore
per dipingere un cielo.
Ma mica tanto, un soffio, un velo».

«Vattene, vattene, fannullone,
pezzo di accattone,
se non vuoi che ti lisci il groppone
col bastone!»

Andò dal padrone del Giallo
e gli disse cosí:
«Prestami qualche avanzo
di colore, un ritaglio,

abbastanza per fare un girasole».
Ma quello lo aggredí
con un torrente di male parole:
«Pezzente, delinquente,
la finisci di seccare la gente!»

Andò dal padrone del Verde,
andò dal padrone del Bruno,
ma non gli dava retta nessuno.
Infine pensò:
«Il Rosso ce l'ho!»
Detto fatto un dito si tagliò.

E il Rosso gocciò sulla tela:
era una lagrima appena,
una perla di sangue,
ma tinse in un istante
la tela intiera,
rossa come un falò di primavera,
rossa come una bandiera,
come un milione di rose.

E il povero pittore
adesso che aveva un colore
si sentí ricco piú di un imperatore.

# Il giornale dei gatti

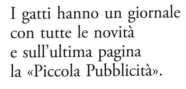

I gatti hanno un giornale
con tutte le novità
e sull'ultima pagina
la «Piccola Pubblicità».

«Cercasi casa comoda
con poltrone fuori moda:
non si accettano bambini
perché tirano la coda».

«Cerco vecchia signora
a scopo compagnia.
Precisare referenze
e conto in macelleria».

«Premiato cacciatore
cerca impiego in granaio».
«Vegetariano, scapolo,
cerca ricco lattaio».

I gatti senza casa
la domenica dopopranzo
leggono questi avvisi
piú belli di un romanzo:

per un'oretta o due
sognano ad occhi aperti,
poi vanno a prepararsi
per i loro concerti.

# Storia del pesce-martello

Il pesce-martello è disperato:
un pesce-incudine non ha trovato;

non ha trovato in alcun modo
né un pesce-muro né un pesce-chiodo;

non una volta gli succede
di schiacciare un pesce-piede

e nemmeno si è mai sentito
che abbia ammaccato un pesce-dito.

Perciò si lamenta: «Che ci sto a fare
se non ho niente da martellare?

Avevo una scarpa, proprio una sola,
mi divertivo a batter la suola.

Un pescatore me la pescò.
Che dovrei dirgli? Buon pranzo, buon pro».

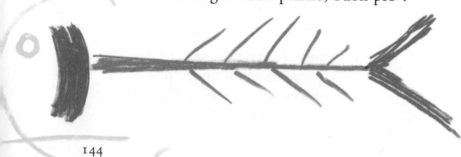

# Lo Zoo delle favole

Signori e signore
venite a visitare
lo Zoo delle favole
con le bestie piú rare.

Ammirate in questa gabbia
il Gatto con gli stivali
mentre con crema e spazzola
si lucida i gambali.

Al Grillo Parlante
qui rivolgete l'occhio:
è zoppo da tre zampe
per colpa di Pinocchio.

Il Pesciolino d'oro
nuota in questo laghetto:
la zuppa di pepite
è il suo piatto prediletto.

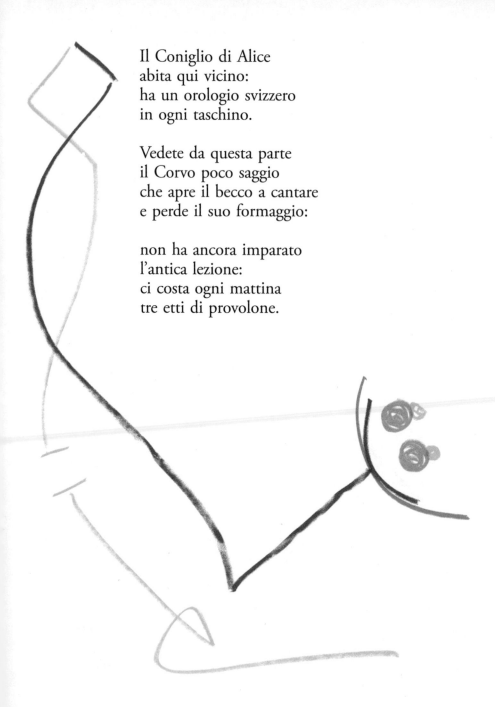

Il Coniglio di Alice
abita qui vicino:
ha un orologio svizzero
in ogni taschino.

Vedete da questa parte
il Corvo poco saggio
che apre il becco a cantare
e perde il suo formaggio:

non ha ancora imparato
l'antica lezione:
ci costa ogni mattina
tre etti di provolone.

# La bella addormentata

Le favole dove stanno?
Ce n'è una in ogni cosa:
nel legno del tavolino,
nel bicchiere, nella rosa.
La favola sta lí dentro
da tanto tempo, e non parla:
è una bella addormentata
e bisogna svegliarla.
Ma se un principe, o un poeta,
a baciarla non verrà
un bimbo la sua favola
invano aspetterà.

# Alla volpe

Questo è quel pergolato
  e questa è quell'uva
che la volpe della favola
  giudicò poco matura
perché stava troppo in alto.
  Fate un salto,
  fatene un altro.
 Se non ci arrivate
  riprovate domattina,
  vedrete che ogni giorno
  un poco si avvicina
  il dolce frutto;
l'allenamento è tutto.

# Alla formica

Chiedo scusa alla favola antica,
se non mi piace l'avara formica.
Io sto dalla parte della cicala
che il piú bel canto non vende, regala.

# Indice

*I colori dei mestieri*

La biblioteca di Gianni Rodari

*Storie di Marco e Mirko*
*La gondola fantasma*
*Il secondo libro delle filastrocche*
*Grammatica della fantasia (40 anni)*
*Gip nel televisore e altre storie in orbita*
*La Voce della Fantasia*
*La torta in cielo*

*Finito di stampare per conto delle* Edizioni EL
*presso LEGO S.p.A. - Stabilimento di Lavis (Trento)*

| Ristampa | | | | Anno | | |
|---|---|---|---|---|---|---|
| 7 | 8 | 9 | 10 | 2020 | 2021 | 2022 |